CLAUDE DEBUSSY

Danseuses de Delphes

(extrait des Préludes, 1er livre)

Édition de Roy Howat et Claude Helffer

DURAND

Danseuses de Delphes

(extrait des Préludes, 1er livre)

Claude DEBUSSY

- I.

Lent et grave (♩ = 44)

3

(... Danseuses de Delphes)

Avertissement

Cette édition critique de *Danseuses de Delphes* constitue un tiré
à part des ŒUVRES COMPLÈTES DE CLAUDE DEBUSSY,
Série I, volume 5.

Note

This critical edition of *Danseuses de Delphes* is an excerpt from
the COMPLETE WORKS OF CLAUDE DEBUSSY, Series I,
volume 5.

© 2010 Éditions DURAND

Tous droits réservés pour tous pays.
All rights reserved.

Imprimé en Italie - Printed in Italy
D. & F. 15971